Pe. SÉRGIO LUIZ E SILVA, C.Ss.R.

A BÍBLIA EM 365 DIAS
Guia prático de leitura

EDITORA
SANTUÁRIO

Direção Editorial:	Pe. Fábio Evaristo Resende Silva, C.Ss.R.
Coordenação Editorial:	Ana Lúcia de Castro Leite
Revisão:	Luana Galvão
Diagramação e Capa:	Tiago Mariano da Conceição

Textos bíblicos e citações extraídos da Bíblia de Aparecida,
Editora Santuário 2006.

ISBN 85-7200-749-0

1ª impressão, 2001
16ª impressão

Todos os direitos reservados à **EDITORA SANTUÁRIO** – 2025

Rua Pe. Claro Monteiro, 342 – 12570-045 – Aparecida-SP
Tel: 12 3104-2000 – Televendas: 0800 - 016 00 04
www.editorasantuario.com.br
vendas@editorasantuario.com.br

Introdução

Você já leu a Bíblia toda? Alguns acham isso impossível. Às vezes brinco com as pessoas, dizendo que é possível até que algumas páginas do Livro Sagrado ainda estejam meio coladas, pois nunca foram abertas.

Brincadeiras à parte, estou lhe propondo um desafio: em um ano, 365 dias, ler cada capítulo, cada versículo da Palavra de Deus, toda ela!

Para facilitar a apreensão do espírito desse desafio, tomo como imagem *um caminho a ser percorrido*. Não há trens, ônibus ou carros. Imagine você se dispondo a fazer uma longa caminhada. Para tanto, serão necessárias algumas qualidades: espírito de aventura, entrega, determinação, perseverança e escuta.

✝ Espírito de aventura

Que você esteja pronto a desbravar todas as particularidades deste Livro dos livros. Você estará em contato com a história de Deus entre os homens. Será um caminho de vales e montanhas, florestas e desertos. Encontrará personagens tão humanos como você. Percorrerá uma trajetória marcada pela infidelidade do ser humano e a fidelidade de Deus. Siga sem medo! Seu guia será o Espírito de Deus. Ele mesmo comunicará a você a doçura da Palavra.

✝ Entrega

Não leia o que lhe é proposto como se lê um livro qualquer. É preciso a qualidade da fé, um abandono confiante ao Senhor que é, em última análise, o Divino Autor das Escrituras.

Determinação

Nesse caminho alguns trechos poderão lhe parecer tremendamente áridos e difíceis de percorrer. Talvez apareça a tentação de abandonar o caminho, de saltar certas etapas. Não faça isso! Você correrá o risco de perder uma comunicação especial do Senhor. Seja paciente. Nesses momentos você estará enfrentando a você mesmo, mais do que a Bíblia.

Perseverança

Vá caminhando, passo a passo. Não deixe que se acumulem os dias. Como quando a gente precisa fazer algo importante e faz logo pela manhã, ou numa hora apropriada, não deixe para ler e mediar sobre a Palavra nos últimos minutos de seu dia, quando o cansaço já é grande. O sono poderá lhe roubar a atenção e também dar a impressão de que a Bíblia é um livro enfadonho. Lembre-se: se você não eleger esse caminho como uma prioridade, a cada dia, dificilmente você chegará ao fim. É mais fácil ler quatro capítulos hoje do que oito amanhã.

Escuta

É Deus quem estará falando, então, escute. Não seja apressado em tirar conclusões rápidas sobre algo que você leu. Em relação à Doutrina, a Bíblia precisa ser interpretada como um todo, um corpo no Corpo, ou seja, você a estará lendo como membro do Corpo de Cristo que é a Igreja. Escute o que Deus lhe comunicará a respeito de sua própria vida. Esteja atento também às suas reações internas. Se você assim o fizer, você aprenderá muito sobre seu próprio Eu.

Deixo agora com você algumas dicas práticas que o(a) ajudarão nesse caminho.

1. Na medida do possível, separe um tempo tranquilo para fazer a leitura diária. Caso isso não seja possível, aproveite até mesmo o tempo em que você estará, por exemplo, em um ônibus ou no metrô.

2. Antes de tudo, peça ao Espírito Santo que o ilumine na meditação da Palavra. No final desta introdução, coloco uma pequena oração que poderá ser feita diariamente, antes de você ler os trechos propostos.

3. Você perceberá que há dois textos a serem lidos. O primeiro deve ser feito como oração mais meditativa. Normalmente, será um Salmo, ou um trecho de um livro sapiencial.

4. Seria bom se você lesse a introdução de cada livro. Normalmente, todas as bíblias trazem essas introduções. Elas o ajudarão a compreender melhor o que você irá ler.

5. Aconselho que você tenha um lápis colorido ou um marca-texto, para ir grifando alguns versículos que chamarem mais atenção. Seja criativo! Algumas pessoas gostam até de fazer um diário, colocando o que a Palavra nelas despertou. Seria ótimo, se você fizesse isso.

6. Apesar de este guia ser organizado em forma de calendário, começando pelo mês de janeiro, você pode iniciar a leitura da Bíblia seguindo este roteiro em qualquer dia e mês do ano. Mas preste atenção: comece sempre como se fosse 1º de janeiro e vá marcando dia a dia o trecho que você leu.

7. Antes de começar veja se em sua Bíblia existem os seguintes livros: Tobias, Judite, 1 e 2 Macabeus, Sabedoria, Eclesiástico, Baruc. As bíblias protestantes não apresentam esses livros. Na introdução geral de sua Bíblia provavelmente é explicado por que elas não contêm esses livros. Estamos usando a Bíblia católica. Portanto, você precisará de uma Bíblia católica para percorrer esse caminho proposto.

8. Preste atenção para não confundir Eclesiastes e Eclesiástico. São livros diferentes.

9. Lembre-se de que tudo que há no Antigo Testamento precisa ser lido à Luz do Novo Testamento.

10. Termine sua meditação diária orando ao Senhor, pedindo a Ele que lhe faça não só ouvinte mas praticante da palavra.

Rogo ao Senhor que lhe conceda seu Espírito Santo para que você possa amá-lo mais e dar o tes temunho a todos os homens de que Jesus Cristo é o Senhor para a glória de Deus Pai! Amém. Aleluia.

Pe. Sérgio Luiz e Silva, C.Ss.R.

"Toda a Escritura é inspirada por Deus e é útil para ensinar, convencer, corrigir e educar para a justiça, para que o homem de Deus seja perfeito, equipado para toda boa obra."
2Tm 3,16-17

Oração introdutória para todos os dias

Pai querido, eis-me aqui em tua presença. Eu te louvo pelo Dom da tua Palavra. Louvo-te pela Palavra Viva que é Jesus, teu Filho Amado, meu Senhor e Salvador.

Peço-te, neste momento de recolhimento, que me concedas teu Santo Espírito. Foi Ele quem inspirou homens e mulheres para que pudessem escrever estas páginas que são fonte de vida para todos os que creem em ti.

Ó Pai, que teu Espírito desperte em mim ouvidos de discípulos para que eu possa te escutar naquilo que queres me falar.

Renuncio, já neste momento, a toda carnalidade ao ler as Sagradas Escrituras. Que teu Espírito envolva o meu ser, enchendo-o de luz.

Ó Espírito Santo, comunica-me aquilo que Pai quer de mim. Dá-me docilidade ao teu move em meu coração. Faz-me um verdadeiro ouvinte e praticante da Palavra Viva do meu Deus. Em nome de Jesus. Amém.

Maria, Serva da Palavra, forma-me na escola do Pai. Amém.

Ave, Maria...
Glória ao Pai...

Janeiro

Dia	Leitura
1	Salmo 1; Mateus 1—4
2	Salmo 2; Mateus 5—7
3	Salmo 3; Mateus 8—10
4	Salmo 4; Mateus 11—13
5	Salmo 5; Mateus 14—16
6	Salmo 6; Mateus 17—19
7	Salmo 7; Mateus 20—22
8	Salmo 8; Mateus 23—25
9	Salmo 9; Mateus 26—28
10	Salmo 10; Marcos 1—3
11	Salmo 11; Marcos 4—6
12	Salmo 12; Marcos 7—9
13	Salmo 13; Marcos 10—12
14	Salmo 14; Marcos 13—16
15	Salmo 15; Lucas 1—2
16	Salmo 16; Lucas 3—5
17	Salmo 17; Lucas 6—8

18	Salmo 18,1-31; Lucas 9—11
19	Salmo 18,32-51; Lucas 12—14
20	Salmo 19; Lucas 15—17
21	Salmo 20; Lucas 18—20
22	Salmo 21; Lucas 21—24
23	Salmo 22,1-22; João 1—3
24	Salmo 22,23-31; João 4—6
25	Salmo 23; João 7—9
26	Salmo 24; João 10—12
27	Salmo 25,1-7; João 13—15
28	Salmo 25,8-22; João 16—18
29	Salmo 26; João 19—21
30	Salmo 27; Atos 1—3
31	Salmo 28; Atos 4—6

"Senhor, vós acendeis minha lâmpada,
meu Deus, aclarai minhas trevas.
Sim, convosco sinto-me forte para o ataque,
com meu Deus venço qualquer barreira.
Perfeito é o proceder de Deus,
acrisolada é a palavra do Senhor;
ele é um escudo para todos os que nele se abrigam."
Sl 18,29-31

Fevereiro

Dia	Leitura
1	Salmo 29; Atos 7—9
2	Salmo 30; Atos 10—12
3	Salmo 31,1-9; Atos 13—15
4	Salmo 32; Atos 16—18
5	Salmo 33; Atos 19—21
6	Salmo 34; Atos 22—24
7	Salmo 35; Atos 25—28
8	Salmo 36; Gênesis 1—4
9	Salmo 37; Gênesis 5—8
10	Salmo 38; Gênesis 9—11
11	Salmo 39; Gênesis 12—15
12	Salmo 40; Gênesis 16—18
13	Salmo 41; Gênesis 19—22
14	Salmo 42; Gênesis 23—25
15	Salmo 43; Gênesis 26—28
16	Salmo 44; Gênesis 29—31
17	Salmo 45; Gênesis 32—36

18	Salmo 46; Gênesis 37—39
19	Salmo 47; Gênesis 40—42
20	Salmo 48; Gênesis 43—46
21	Salmo 49; Gênesis 47—50
22	Salmo 50; Êxodo 1—4
23	Salmo 51; Êxodo 5—8
24	Salmo 52; Êxodo 9—11
25	Salmo 53; Êxodo 12—14
26	Salmo 54; Êxodo 15—18
27	Salmo 55; Êxodo 19—21
28	Salmo 56; Êxodo 22—24

*"O anjo do Senhor acampa em
volta dos que o temem e os salva.
Provai e vede como é bom o Senhor;
feliz o homem que nele se abriga."*
Sl 34,8-9

Março

Dia	Leitura
1	Salmo 57; Êxodo 25—27
2	Salmo 58; Êxodo 28—30
3	Salmo 59,1-6; Êxodo 31—34
4	Salmo 59,7-18; Êxodo 35—37
5	Salmo 60; Êxodo 38—40
6	Salmo 61; Levítico 1—3
7	Salmo 62; Levítico 4—7
8	Salmo 63; Levítico 8—10
9	Salmo 64; Levítico 11—13
10	Salmo 65; Levítico 14—16
11	Salmo 66,1-12; Levítico 17—19
12	Salmo 66,13-20; Levítico 20—23
13	Salmo 67; Levítico 24—27
14	Salmo 68,1-15; Números 1—3
15	Salmo 68,16-24; Números 4—6
16	Salmo 68,25-36; Números 7—10
17	Salmo 69,1-16; Números 11—13

18	Salmo 69,17-37; Números 14—17
19	Salmo 70; Números 18—21
20	Salmo 71,1-16; Números 22—24
21	Salmo 71,17-24; Números 25—27
22	Salmo 72; Números 28—30
23	Salmo 73,1-12; Números 31—33
24	Salmo 73,13-28; Números 34—36
25	Salmo 74; Deuteronômio 1—3
26	Salmo 75; Deuteronômio 4—6
27	Salmo 76; Deuteronômio 7—9
28	Salmo 77,1-13; Deuteronômio 10—12
29	Salmo 77,14-21; Deuteronômio 13—15
30	Salmo 78,1-16; Deuteronômio 16—19
31	Salmo 78,17-39; Deuteronômio 20—22

"No entanto, estou sempre convosco;
vós me tomastes pela mão direita.
Com vosso conselho me guiareis
e depois me acolhereis na glória."
Sl 73,23-24

Abril

Dia	Leitura
1	Salmo 78,40-55; Deuteronômio 23—25
2	Salmo 78,56-72; Deuteronômio 26—28
3	Salmo 79; Deuteronômio 29—31
4	Salmo 81; Deuteronômio 32—34
5	Salmo 82; Romanos 1—3
6	Salmo 83; Romanos 4—6
7	Salmo 84; Romanos 7—9
8	Salmo 85; Romanos 10—12
9	Salmo 86; Romanos 13—16
10	Salmo 87; 1Coríntios 1—4
11	Salmo 88; 1Coríntios 5—7
12	Salmo 89,1-19; 1Coríntios 8—11
13	Salmo 89,20-38; 1Coríntios 12—14
14	Salmo 89,39-53; 1Coríntios 15—16
15	Salmo 90; 2Coríntios 1—3
16	Salmo 91; 2Coríntios 4—7
17	Salmo 92; 2Coríntios 8—10

18	Salmo 93; 2Coríntios 11—13
19	Salmo 94,1-15; Gálatas 1—3
20	Salmo 94,16-23; Gálatas 4—6
21	Salmo 95; Efésios 1—3
22	Salmo 96; Efésios 4—6
23	Salmo 97; Josué 1—3
24	Salmo 98; Josué 4—6
25	Salmo 99; Josué 7—9
26	Salmo 100; Josué 10—12
27	Salmo 101; Josué 13—15
28	Salmo 102,1-12; Josué 16—19
29	Salmo 102,13-29; Josué 20—22
30	Salmo 103,1-10; Josué 23—24

"Ensinai-me, Senhor, vosso caminho,
para eu caminhar em vossa verdade;
disponde meu coração para que tema vosso nome.
Graças vos darei, Senhor, meu Deus, de todo o coração
e glorificarei vosso nome para sempre."
Sl 86,11-12

Maio

Dia	Leitura
1	Salmo 103,11-22; Juízes 1—4
2	Salmo 104,1-9; Juízes 5—7
3	Salmo 104,10-18; Juízes 8—10
4	Salmo 104,19-30; Juízes 11—13
5	Salmo 104,31-35; Juízes 14—16
6	Salmo 105,1-11; Juízes 17—21
7	Salmo 105,12-22; Rute 1—4
8	Salmo 105,23-45; 1Samuel 1—3
9	Salmo 106,1-12; 1Samuel 4—7
10	Salmo 106,13-23; 1Samuel 8—11
11	Salmo 106,24-39; 1Samuel 12—14
12	Salmo 106,40-48; 1Samuel 15—17
13	Salmo 107,1-9; 1Samuel 18—20
14	Salmo 107,10-22; 1Samuel 21—24
15	Salmo 107,23-32; 1Samuel 25—28
16	Salmo 107,33-43; 1Samuel 29—31
17	Salmo 108; 2Samuel 1—3

18	Salmo 109,1-19; 2Samuel 4—7
19	Salmo 109,20-31; 2Samuel 8—11
20	Salmo 110; 2Samuel 12—14
21	Salmo 111; 2Samuel 15—18
22	Salmo 112; 2Samuel 19—21
23	Salmo 113; 2Samuel 22—24
24	Salmo 114,1-8; 1Reis 1—3
25	Salmo 115; 1Reis 4—7
26	Salmo 116,1-8; 1Reis 8—10
27	Salmo 116,9-18; 1Reis 11—13
28	Salmo 117; 1Reis 14—17
29	Salmo 118,1-19; 1Reis 18—20
30	Salmo 118,20-29; 1Reis 21—22
31	Salmo 119,1-8; 2Reis 1—4

"Sou vosso servo, Senhor,
vosso servo e filho de vossa serva:
quebrastes minhas correntes.
Vou oferecer-vos um sacrifício de louvor
e invocarei o nome do Senhor."
Sl 116,16-17

Junho

Dia	Leitura
1	Salmo 119,9-16; 2Reis 5—7
2	Salmo 119,17-24; 2Reis 8—11
3	Salmo 119,25-32; 2Reis 12—15
4	Salmo 119,33-40; 2Reis 16—19
5	Salmo 119,41-48; 2Reis 20—22
6	Salmo 119,49-56; 2Reis 23—25
7	Salmo 119,57-64; Filipenses 1—4
8	Salmo 119;65-72; Colossenses 1—4
9	Salmo 11973-80; 1Tessalonicenses 1—3
10	Salmo 119,81-88; 1Tessalonicenses 4—5
11	Salmo 119,89-96; 2Tessalonicenses 1—3
12	Salmo 119,97-104; 1Timóteo 1—3
13	Salmo 119,105-112; 1Timóteo 4—6
14	Salmo 119,113-120; 2Timóteo 1—4
15	Salmo 119,121-128; Tito 1—3
16	Salmo 119,129-136; Filêmon
17	Salmo 119,137-144; 1Crônicas 1—4

18	Salmo 119,145-152; 1Crônicas 5—8
19	Salmo 119,153-160; 1Crônicas 9—12
20	Salmo 119,161-168; 1Crônicas 13—16
21	Salmo 119169-176; 1Crônicas 17—20
22	Salmo 120; 1Crônicas 21—24
23	Salmo 121; 1Crônicas 25—29
24	Salmo 122; 2Crônicas 1—4
25	Salmo 123; 2Crônicas 5—7
26	Salmo 124; 2Crônicas 8—12
27	Salmo 125; 2Crônicas 13—16
28	Salmo 126; 2Crônicas 17—20
29	Salmo 127; 2Crônicas 21—24
30	Salmo 128; 2Crônicas 25—28

"Não deixará que teu pé vacile;
aquele que te guarda não dorme.
Não dorme nem cochila
o guarda de Israel."

Sl 121,3-4

Julho

Dia	Leitura
1	Salmo 129; 2Crônicas 29—32
2	Salmo 130; 2Crônicas 33—36
3	Salmo 131; Esdras 1—3
4	Salmo 132,1-10; Esdras 4—6
5	Salmo 132,11-18; Esdras 7—10
6	Salmo 133; Neemias 1—3
7	Salmo 134; Neemias 4—6
8	Salmo 135; Neemias 7—9
9	Salmo 136,1-9; Neemias 10—13
10	Salmo 136,10-26; Tobias 1—3
11	Salmo 137; Tobias 4—6
12	Salmo 138; Tobias 7—9
13	Salmo 139,1-12; Tobias 10—12
14	Salmo 139,13-24; Tobias 13—14
15	Salmo 140; Judite 1—3
16	Salmo 141; Judite 4—6
17	Salmo 142; Judite 7—9

18	Salmo 143; Judite 10—12
19	Salmo 144,1-8; Judite 13—16
20	Salmo 144,9-15; Ester 1—3
21	Salmo 145,1-13; Ester 4—6
22	Salmo 145,14-21; Ester 7—9
23	Salmo 146; Ester 10—12
24	Salmo 147,1-11; Ester 13—15
25	Salmo 147, 12-20; Ester 16
26	Salmo 148; 1Macabeus 1—2
27	Salmo 149; 1Macabeus 3—4
28	Salmo 150; 1Macabeus 5—7
29	Eclo Prólogo e 1,1-10; 1Macabeus 8—9
30	Eclesiástico 1,11-40; 1Macabeus 10—11
31	Eclesiástico 2,1-6; 1Macabeus 12—14

*"Se ando no meio da angústia, preservais minha vida;
contra a ira de meus inimigos estendeis a mão
e vossa mão direita me salva.
O Senhor completará sua obra em mim.
Senhor, vossa bondade dura para sempre:
não abandoneis a obra de vossas mãos."*
Sl 138,7-8

Agosto

Dia	Leitura
1	Eclesiástico 2,7-23; 1Macabeus 15—16
2	Eclesiástico 3; 2Macabeus 1—2
3	Eclesiástico 4,1-22; 2Macabeus 3—4
4	Eclesiástico 4,23-36; 2Macabeus 5—7
5	Eclesiástico 5; 2Macabeus 8—10
6	Eclesiástico 6,1-17; 2Macabeus 11—13
7	Eclesiástico 6,18-37; 2Macabeus 14—15
8	Eclesiástico 7; Hebreus 1—3
9	Eclesiástico 8; Hebreus 4—6
10	Eclesiástico 9; Hebreus 7—8
11	Eclesiástico 10,1-22; Hebreus 9—10
12	Eclesiástico 10,23-34; Hebreus 11
13	Eclesiástico 11,1-13; Hebreus 12—13
14	Eclesiástico 11,14-36; Jó 1—3
15	Eclesiástico 12; Jó 4—7
16	Eclesiástico 13,1-18; Jó 8—10
17	Eclesiástico 13,19-32; Jó 11—13

18	Eclesiástico 14,1-10; Jó 14—15
19	Eclesiástico 14,11-27; Jó 16—18
20	Eclesiástico 15; Jó 19—21
21	Eclesiástico 16,1-15; Jó 22—24
22	Eclesiástico 16,16-31; Jó 25—27
23	Eclesiástico 17,1-12; Jó 28—30
24	Eclesiástico 17,13-31; Jó 31—33
25	Eclesiástico 18,1-18; Jó 34—36
26	Eclesiástico 18,19-33; Jó 37—38
27	Eclesiástico 19,1-18; Jó 39—40
28	Eclesiástico 19,19-28; Jó 41—42
29	Eclesiástico 20,1-19; Isaías 1—2
30	Eclesiástico 20,20-33; Isaías 3—5
31	Eclesiástico 21; Isaías 6—8

"Vós que temeis o Senhor, esperai seus benefícios,
a felicidade eterna e a misericórdia.
Vós que temeis o Senhor, amai-o,
e vossos corações serão iluminados."
Eclo 2,9-10

Setembro

Dia	Leitura
1	Eclesiástico 22,1-23; Isaías 9—10
2	Eclesiástico 22,24-33; Isaías 11—13
3	Eclesiástico 23,1-20; Isaías 14—16
4	Eclesiástico 23,21-38; Isaías 17—19
5	Eclesiástico 24,1-31; Isaías 20—22
6	Eclesiástico 24,32-47; Isaías 23—25
7	Eclesiástico 25,1-16; Isaías 26—27
8	Eclesiástico 25,17-36; Isaías 28—29
9	Eclesiástico 26; Isaías 30—31
10	Eclesiástico 27; Isaías 32—33
11	Eclesiástico 28,1-14; Isaías 34—35
12	Eclesiástico 28,15-30; Isaías 36—39
13	Eclesiástico 29,1-18; Isaías 40—41
14	Eclesiástico 29,19-35; Isaías 42—43
15	Eclesiástico 30; Isaías 44—45
16	Eclesiástico 31,1-11; Isaías 46—48
17	Eclesiástico 31,12-42; Isaías 49—50

18	Eclesiástico 32; Isaías 51—53
19	Eclesiástico 33,1-15; Isaías 54—55
20	Eclesiástico 33,16-32; Isaías 56—58
21	Eclesiástico 34,1-20; Isaías 59—60
22	Eclesiástico 34,21-31; Isaías 61—62
23	Eclesiástico 35; Isaías 63—64
24	Eclesiástico 36,1-19; Isaías 65—66
25	Eclesiástico 36,20-28; Jeremias 1—2
26	Eclesiástico 37,1-21; Jeremias 3—4
27	Eclesiástico 37,22-34; Jeremias 5—6
28	Eclesiástico 38,1-24; Jeremias 7—9
29	Eclesiástico 38,25-39; Jeremias 10—12
30	Eclesiástico 39,1-15; Jeremias 13—15

"Os olhos do Senhor estão sobre os que o temem:
poderoso protetor, apoio sólido,
abrigo contra o calor, sombra ao meio-dia,
defesa contra os obstáculos e amparo na queda;
eleva a alma e ilumina os olhos,
concede saúde, vida e bênção."
Eclo 34,19-20

Outubro

Dia	Leitura
1	Eclesiástico 39,16-41; Jeremias 16—18
2	Eclesiástico 40,1-17; Jeremias 19—21
3	Eclesiástico 40,18-32; Jeremias 22—24
4	Eclesiástico 41; Jeremias 25—26
5	Eclesiástico 42,1-14; Jeremias 27—29
6	Eclesiástico 42,15-26; Jeremias 30—31
7	Eclesiástico 43,1-20; Jeremias 32—33
8	Eclesiástico 43,21-37; Jeremias 34—36
9	Eclesiástico 44,1-15; Jeremias 37—39
10	Eclesiástico 44,16-27; Jeremias 40—42
11	Eclesiástico 45,1-6; Jeremias 43—45
12	Eclesiástico 45,7-31; Jeremias 46—48
13	Eclesiástico 46,1-15; Jeremias 49—50
14	Eclesiástico 46,16-23; Jeremias 51—52
15	Eclesiástico 47,1-13; Lamentações 1—5
16	Eclesiástico 47,14-31; Baruc 1—3
17	Eclesiástico 48,1-16; Baruc 4—6

18	Eclesiástico 48,17-28; Tiago 1—3
19	Eclesiástico 49,1-12; Tiago 4—5
20	Eclesiástico 49,13-19; 1Pedro 1—2
21	Eclesiástico 50,1-23; 1Pedro 3—5
22	Eclesiástico 50,24-26; 2Pedro 1—3
23	Eclesiástico 50,27-31; 1João 1—3
24	Eclesiástico 51,1-17; 1João 4—5
25	Eclesiástico 51,18-38; 2João e 3João
26	Sabedoria 1; Judas
27	Sabedoria 2; Ezequiel 1—3
28	Sabedoria 3; Ezequiel 4—6
29	Sabedoria 4; Ezequiel 7—8
30	Sabedoria 5,1-13; Ezequiel 9—12
31	Sabedoria 5,14-23; Ezequiel 13—15

"Agora bendizei o Deus do universo
que faz maravilhas na terra inteira,
que exaltou nossos dias desde o seio materno
e age conosco segundo sua misericórdia."
Eclo 50,24

Novembro

Dia	Leitura
1	Sabedoria 6; Ezequiel 16—18
2	Sabedoria 7,1-21; Ezequiel 19—21
3	Sabedoria 7,22-30; Ezequiel 22—23
4	Sabedoria 8; Ezequiel 24—26
5	Sabedoria 9; Ezequiel 27—29
6	Sabedoria 10,1-14; Ezequiel 30—32
7	Sabedoria 10,15-21; Ezequiel 33—35
8	Sabedoria 11,1-14; Ezequiel 36—37
9	Sabedoria 11,15-26; Ezequiel 38—39
10	Sabedoria 12,1-15; Ezequiel 40—42
11	Sabedoria 12,16-27; Ezequiel 43—45
12	Sabedoria 13,1-9; Ezequiel 46—48
13	Sabedoria 13,10-19; Daniel 1—2
14	Sabedoria 14,1-11; Daniel 3—4
15	Sabedoria 14,12-31; Daniel 5—7
16	Sabedoria 15; Daniel 8—10
17	Sabedoria 16,1-14; Daniel 11—14

18	Sabedoria 16,15-29; Apocalipse 1—3
19	Sabedoria 17; Apocalipse 4—7
20	Sabedoria 18, 1-19; Apocalipse 8—11
21	Sabedoria 18,20-25; Apocalipse 12—14
22	Sabedoria 19,1-17; Apocalipse 15—16
23	Sabedoria 19,18-22; Apocalipse 17—19
24	Cânticos 1,1-8; Apocalipse 20—22
25	Cânticos 1,9-17; Oséias 1—3
26	Cânticos 2,1-7; Oséias 4—6
27	Cânticos 2,8-17; Oséias 7—10
28	Cânticos 3,1-5; Oséias 11—14
29	Cânticos 3,6-11; Joel 1—4
30	Cânticos 4; Amós 1—3

"Dai-me a Sabedoria, que se assenta no trono a vosso lado,
e não me excluais do número de vossos filhos.
Ela, que tudo conhece e tudo compreende,
vai guiar-me com prudência em minhas ações
e proteger-me com sua glória."
Sb 9,4.11

Dezembro

Dia	Leitura
1	Cânticos 5; Amós 4—6
2	Cânticos 6; Amós 7—9
3	Cânticos 7; Abdias
4	Cânticos 8,1-4; Jonas 1—4
5	Cânticos 8,5-14; Miquéias 1—2
6	Eclesiastes 1; Miquéias 3—5
7	Eclesiastes 2; Miquéias 6—7
8	Eclesiastes 3,1-15; Naum 1—3
9	Eclesiastes 3,16-22; Habacuc 1—3
10	Eclesiastes 4; Sofonias 1—3
11	Eclesiastes 5; Ageu 1—2
12	Eclesiastes 6; Zacarias 1—3
13	Eclesiastes 7; Zacarias 4—6
14	Eclesiastes 8,1-8; Zacarias 7—9
15	Eclesiastes 8,9-17; Zacarias 10—11
16	Eclesiastes 9,1-10; Zacarias 12—14
17	Eclesiastes 9,11-18; Malaquias 1—3

18	Eclesiastes 10; Provérbios 1—2
19	Eclesiastes 11; Provérbios 3—4
20	Eclesiastes 12,1-8; Provérbios 5—7
21	Eclesiastes 12,9-14; Provérbios 8—9
22	Provérbios 10—11
23	Provérbios 12—13
24	Provérbios 14—16
25	Provérbios 17—18
26	Provérbios 19—20
27	Provérbios 21—23
28	Provérbios 24—25
29	Provérbios 26—28
30	Provérbios 29—31
31	Apocalipse 22

"Lança tua semente de manhã, e de tarde não dês descanso a tuas mãos, porque não sabes qual dos dois trabalhos terá êxito, se este ou aquele, ou se serão bons todos os dois."
Ecl 11,6

Orações ao Espírito Santo

Vinde, Espírito Santo

Vinde, Espírito Santo, enchei os corações de vossos fiéis e acendei neles o fogo do vosso amor. Enviai o vosso Espírito e tudo será criado. E renovareis a face da terra.

Oremos: Deus, que instruístes os corações dos vossos fiéis com a luz do Espírito Santo, fazei que apreciemos retamente todas as coisas segundo o mesmo Espírito e gozemos sempre de sua consolação. Por Cristo, nosso Senhor. Amém.

Prece ao Espírito Santo

Ó Espírito, Advogado, Luz dos corações, e Pai dos pobres, Amor de Deus e Santificador da Igreja... Dá-me de beber a água de teus dons. Minha alma é terra seca que não produz mais que espinhos e abrolhos.

Ó fonte de água viva, inunda-me com teu caudal. Não permitas que eu vá beber águas contaminadas. Rega meu coração em tempo de seca. Que o tédio não sufoque nem mate a vida que me infundes. Vem, Espírito Santo, e enche-me de teus dons.

Santo Afonso Maria de Ligório (1696-1787)

Para pedir a inspiração do Espírito Santo

Ó Espírito Santo, Amor do Pai e do Filho, inspirai-me sempre o que devo pensar, o que devo dizer, como devo dizê-lo, o que devo calar, o que devo escrever, como devo agir, o que devo fazer para obter a vossa glória, o bem das almas e minha própria santificação! Amém.

Cardeal Verdier

Luzes do Espírito

Quem és tu, luz, que me enche e ilumina a escuridão de meu coração? Tu me guias, igual à mão de uma mãe, da qual, soltando-me, não saberia caminhar mais um só passo. Tu és o lugar que cerca meu ser e em si me acolhe. Saindo de ti, mergulho no abismo do nada, de onde tu elevaste o meu ser. Tu estás mais próximo a mim, do que eu a mim mesmo, e mais íntimo do que meu interior – no entanto, continuas intocável e incompreensível, arrebatando do que existe: Santo Espírito – Eterno Amor.

Edith Stein

Habita em nós

Espírito do Pai e do Filho, vem. Espírito do amor, vem. Espírito de infância, de paz, de confiança e de alegria, vem. Júbilo secreto, que brilha através das lágrimas do mundo, vem. Vida mais forte do que toda a nossa morte, vem. Pai dos pobres e advogado dos oprimidos, vem. Luz de eterna verdade e amor derramado nos corações, vem. Vem: renova e estende a tua visita dentro de nós. Em ti colocamos a nossa confiança. Amamos a ti, que és o amor. Em ti temos Deus por Pai, porque, dentro de nós, tu clamas: "Abba, Pai amantíssimo". Habita em nós. Não nos abandones na dura luta da vida e, quando chegar o seu fim e estivermos sozinhos, vem, Espírito Santo.

Karl Rahner (1904-1984)

Consagração ao Espírito Santo

Espírito Santo, amor substancial do Pai e do Filho. Amor incriado, que habitas nas almas justas, vem sobre mim com um novo Pentecostes, trazendo-me a abundância dos teus dons, dos teus frutos, da tua graça, e une-te a mim qual Esposo dulcíssimo da minha alma. Eu me consagro totalmente a ti: invade-me, toma-me, possui-me toda.

Sê luz penetrante que ilumine a minha inteligência, moção suave que atraia e dirija a minha vontade, força sobrenatural que dê vigor ao meu corpo. Completa em mim a tua obra de purificação, de santificação, de amor.

Torna-me pura, transparente, simples, verdadeira; livre, pacífica e suave; calma, serena, mesmo na dor; ardente de amor para com Deus e para com o próximo.

Irmã Carmela do Espírito Santo (1903-1949)

Oração de Pentecostes

Espírito Santo, uma vez que desejo a tua vinda, suplico-te que faças em mim três coisas. Com o teu amor torna-me forte contra o mal e disposto a todo o bem. Liberta-me de todo o temor humano e faze que, por amor a Deus, eu acolha com alegria toda adversidade.

Peço-te ainda que me concedas o perdão dos pecados. E concede-me que, consumido pelo fogo do amor divino, eu mergulhe inteiramente em Deus e, nesta feliz união, torne-me semelhante a ele.

Espírito Santo, inebria-me com o vinho do teu amor, que produzirá em mim o esquecimento de mim mesmo e o desprezo de toda honra e de toda a vantagem que não tenham em vista a glória de Deus.

Enche o meu coração da tua suavidade, de tal modo que nenhuma alegria, nenhum prazer terreno possam jamais satisfazer-me.

Inflama-me com o amor das coisas celestes e espirituais, de modo que aspire a Deus com todo o coração e não tenha mais temor nem da morte, nem de nenhum sofrimento.

Santa Matilde (1241-1298)

Creio em ti, Espírito Santo

Creio em ti, Espírito Santo, Senhor e doador de vida, que pairavas sobre as águas da primeira criação e desceste sobre a Virgem acolhedora e sobre as águas da nova criação. Tu és o vínculo do amor eterno, a unidade e a paz do amado e do amante, no diálogo eterno do amor. Tu és o êxtase e o dom de Deus, aquele em que o amor infinito se abre na liberdade, para suscitar e contagiar amor.

Bruno Forte

Que o meu coração seja tua habitação amada

Vem, Senhor, Segura-me. Desapega meu coração de tudo; que ele seja bem livre, para que nada o impeça de te ver. Dobra a minha vontade, abaixa o meu orgulho, tu tão humilde de coração. Modela meu coração para que possa ser tua habitação amada, e venhas repousar nela e conversar comigo numa união ideal. Senhor, que esse pobre coração seja um só com o teu... Só tu podes encher sua solidão. Que eu não procure nada fora de ti: Só tu és capaz de me contentar.

Elisabete da Trindade

Vem, Santíssimo Espírito

Espírito Santo! Creio que todas as vezes que desces à alma aí preparas o domicílio para o Pai e para o Filho. Feliz quem merece hospedar-te! Por ti nele estabelecem a sua morada o Pai e o Filho. Vem, pois, vem, benigníssimo consolador de todo aquele que sofre, protetor em toda a ocorrência e sustentáculo em toda a tribulação.

Vem, purificador dos delitos, médico das feridas. Vem, fortaleza de frágeis, restaurador dos que caem. Vem, mestre dos humildes, tu que abates os soberbos. Vem, piedoso pai dos órfãos, compassivo juiz das viúvas.

Vem, esperança dos pobres, refrigério dos enfermos. Vem, estrela dos navegantes, porto dos náufragos. Vem, adorno singular dos vivos e salvação única dos que morrem.

Vem, Santíssimo Espírito, vem e tem piedade de mim. Reveste-me de ti e ouve-me propício, a fim de que, segundo a multidão das tuas misericórdias, a minha pequenez agrade à tua grandeza, a minha fraqueza agrade à tua fortaleza, por Jesus Cristo, meu Salvador, que com Pai vive e reina na tua unidade, pelos séculos dos séculos. Assim seja.

Agostinho de Hipona

Súplica ao Espírito Santo

Espírito Santo, amor do Pai e do Filho, por tua incompreensível bondade, atrai a ti a minha vontade e inflama-a no fogo inextinguível de tua caridade. Senhor meu e Deus meu, meu princípio e meu fim, essência absolutamente simples, absolutamente amável. Ó abismo de dulçores e delícias, ó luz amada e sublime felicidade de minha alma, oceano de alegrias inexplicáveis, plenitude perfeita de todo bem.

Meu Deus e meu tudo, de que necessitarei ainda, quando te possuir? És o meu bem único e imutável. Nada procuro nem desejo senão só a ti.

Senhor, atrai-me para ti! Eu bato, Senhor, abre-me. Abre a um órfão que te pede. Esconde-me no abismo de tua divindade. Faze-me um único espírito contigo para que possa fruir, dentro de mim, as tuas delícias. Amém.

Santo Alberto Magno

Doce luz, Espírito Santo

Quem és tu, doce Luz, que me inundas e aclaras a noite de meu coração? Tu me guias com tua mão maternal. Se me desamparas, não avanço mais, nem sequer um passo. Tu és o espaço que cerca o meu ser e no qual tu te ocultas. Se me abandonas, caio no abismo do nada, do qual me chamaste para o ser. Estás mais próximo de mim que eu, és mais íntimo de mim que meu íntimo. E, contudo, ninguém te atinge, ninguém te compreende. E nenhum nome pode aprisionar-te: Espírito Santo Eterno Amor.

Karl Rahner (1904-1984)

Oração dos casais ao Espírito Santo

Espírito Santo, vós sois o alento do Pai e do Filho na plenitude da eternidade. Vós nos fostes enviado por Jesus para nos fazer compreender o que ele nos disse e nos conduzir à verdade completa. Vós sois para nós sopro de vida, sopro criador, sopro santificador. Vós sois quem renova todas as coisas.

Pedimo-vos, humildemente, que nos deis vida e que habiteis em cada um de nós, em cada um de nossos lares, para que possamos viver o sacramento do matrimônio como um lugar de amor, um projeto de felicidade e um caminho para a santidade. Amém.

Batismo no Espírito

Deus Espírito Santo, a quem tantas vezes entristeci, a quem não deixei de resistir, desde a minha infância, enche-me de reverência por tua pessoa, por tua essência, presença e poder. Faze-me conhecer a graça dos teus sete dons: o dom da inteligência e ciência, o dom do conselho e fortaleza, o dom da sabedoria e piedade, e o dom do temor de Deus.

És amor do Pai e do Filho. Batizas com fogo e difundes o amor nos corações. Infunde-o em meu coração. Só uma coisa peço a Deus: não são riquezas nem bem-estar, nem poder, nem alegrias passageiras, nem bens temporais. O que apenas desejo é uma centelha do teu fogo divino para abrasar-me todo nas chamas do amor de Deus. Que este fogo santo me purifique de todas as máculas do corpo e da alma.

Plenifica-me com teus sete dons. Aceita-me como vítima agradável. Inflama-me de zelo, dá-me arrependimento a fim de viver e morrer como fervoroso penitente. Amém.

Cardeal Manning

Ao Espírito Criador

Vem, Espírito venerado e todo-poderoso, pelo qual tudo foi feito. Tu tens tudo em tuas mãos, tu que estás acima de toda sabedoria e de todo poder. Nada pode descrever-te, compreender-te, sondar-te. Tu terminas toda a criação em sua essência; tu és inseparável de todas as coisas em sua força.

Nós te bendizemos, Senhor de todas as coisas e muito bom! De ti procedem toda existência, toda respiração, todo pensamento, todo conhecimento de Deus. Nós te bendizemos porque és tu que nos fazes ver a beleza do céu, o percurso do sol, o círculo da lua, a magnificência das estrelas. Por isso nós proclamamos: Glória a ti!

Da liturgia oriental

Este livro foi composto com as famílias tipográficas Tw Cen MT Condensed e Goudy e impresso em papel Offset 75g/m² pela **Gráfica Santuário.**